ᓄᓇᐃᑦ ᐃᓚᖏᑦ
NUNAIT ILANGIT
PARTS OF THE LAND

ᑎᑎᖅᑐᒐᖅᑐᖅ
ᐋᓕ ᕼᐃᓐᑦᔅ

TITIQTUGAQTUQ ILLUSTRATED BY
Ali Hinch

ᐅᓇ ᑰᒃ.

Una kuuk.

This is a river.

ᐅᓇ ᑕᓯᖅ.

Una tasiq.

This is a lake.

ᐅᓇ ᖃᖅᑲᖅ.

Una qaqqaq.

This is a mountain.

ᐅᓇ ᓇᖅᓴᖅ.

Una naqsaq.

This is a valley.

ᐅᓇ ᓯᒡᔭᖅ.

Una sigjaq.

This is a shoreline.

Nunavummi